Las Mejores Fábulas para Chiquitos

Las Mejores Fábulas para Chiquitos

Editorial Época, S.A. de C.V.
Emperadores 185
Col. Portales
C.P. 03300, México, D.F.

Las mejores fábulas para chiquitos

Emperadores No. 185
C.P. 03300-México, D.F.
email: edesa@data.net.mx
Tels: 56049046
56049072

ISBN: 970-627-3079.

Impreso en México — *Printed in Mexico*

Introducción

En el diccionario de la lengua castellana se define a la Fábula, como un cuento o narración de alguna cosa, que ni es verdad, ni tampoco tiene la sombra de serlo; la cual ha sido inventada para deleitar con el fin de enseñanza. Lo que es lo mismo; la Fábula es una composición literaria, frecuentemente en verso, en la que el autor presenta un relato donde intervienen personas, animales o seres animados. De cada Fábula se obtiene una moraleja que es una enseñanza para la vida.

Su origen es muy antiguo y se remonta a los países orientales, donde los pueblos crearon hechos imaginarios con el fin de moralizar al hombre. Pero sin duda, los orígenes más importantes de estas pequeñas composiciones provienen de Esopo, uno de los fabulistas más impresionantes, que ha inspirado a otros grandes como lo fueron; La Fontaine, en Francia; Pilpay, en la India; Félix M. Samaniego, Tomás de Iriarte y Ezequiel Solana, en España y José Moreno, en México. Esto tan sólo por mencionar algunos.

Hoy en día, las Fábulas continúan su labor más importante de enseñanza; así como a los refranes o los dichos, los hombres de todas las edades alguna vez en su vida se han referido a una Fábula para ejemplificar algún hecho; o bien, con el fin de mostrar algo. En el presente ejemplar encontrará las mejores Fábulas para que los más pequeños se diviertan aprendiendo.

EL ZAGAL Y LAS OVEJAS

SAMANIEGO

Apacentando un joven su ganado,
gritó desde la cima de un collado:
—¡Favor; que viene un lobo, labradores!

Éstos, abandonando sus labores,
acuden prontamente,
y hallan que es una chanza solamente.

Vuelve a llamar, y temen la desgracia.
segunda vez los burla. ¡Linda gracia!

Pero, ¿qué sucedió la vez tercera?

Que vino en realidad la hambrienta
fiera.

Entonces el Zagal se desgañita,
y por más que patea, llora y grita,
no se mueve la gente escarmentada,
y el lobo le devora la manada.

¡Cuántas veces resulta de un engaño
contra el engañador el mayor daño!

El gorrión y la liebre

SAMANIEGO

Un maldito gorrión así decía
a una liebre que un águila oprimía:
—¿no eres tú tan ligera
que si el perro te sigue en la carrera
lo acarician y halagan, como al cabo
acerque sus narices a tu rabo?

Pues empieza a correr. ¿qué te detiene?
De este modo la insulta, cuando viene
el diestro gavilán y lo arrebata.
El preso chilla, el prendedor lo mata,
y la liebre exclama: —¡bien merecido!
¿quién te mandó insultar al afligido,
y a más meterte a consejero,
no sabiendo mirar por ti primero?

Los navegantes

SAMANIEGO

Lloraban unos tristes pasajeros
viendo su pobre nave, combatida
de recias olas y de vientos fieros,
ya casi sumergida,
cuando súbitamente
el viento calma, el cielo serena,
y la afligida gente
convierte en risa la pesada pena.

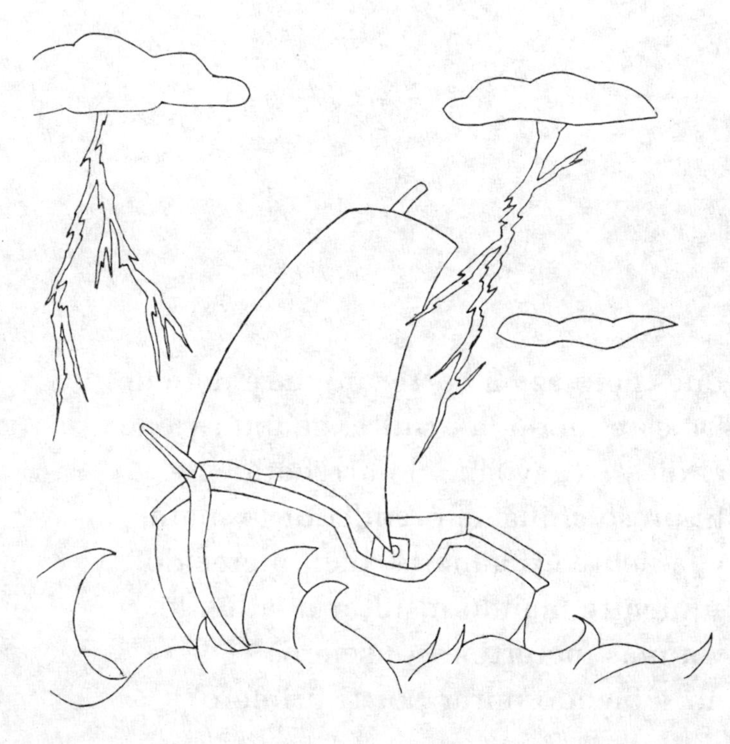

Mas el piloto estuvo muy sereno
tanto en la tempestad como en la
bonanza.

Pues sabe que lo malo y que lo bueno
está sujeto a súbita mudanza.

EL PERRO Y EL COCODRILO

ESOPO

Bebiendo un perro en el Nilo,
al mismo tiempo corría.
—¡Bebe quieto! —le decía
un taimado cocodrilo.

Díjole el perro, prudente:
—dañoso es beber y andar;
pero, ¿es sano el aguardar
a que me claves el diente?

¡oh, qué docto perro viejo!
Yo venero su sentir
en esto de no seguir
del enemigo el consejo.

El león y el ratón

ESOPO

Estaba un ratoncillo aprisionado
en las garras de un león; el desdichado
en tal ratonera no fue preso
por ladrón de tocino ni de queso,
sino porque con otros molestaba
al león, que en su retiro descansaba.

Pide perdón llorando su insolencia.
Al oír implorar la real clemencia,
responde el rey en majestuoso tono
—¡te perdono!

Poco después, cazando el león, tropieza
en una red oculta en la maleza.

Quiere salir; mas queda prisionero.
Atronando la selva, ruge fiero.
El libre ratoncillo, que lo siente,
corriendo llega, roe diligente
los nudos de la red, de tal manera
que al fin rompió los grillos de la fiera.

Conviene al poderoso
para los infelices ser piadoso.

Tal vez se puede ver necesitado
del auxilio de aquel más desdichado.

EL HACHA Y EL MANGO

ESOPO

Un hombre que en el bosque se miraba
con un hacha sin mango, suplicaba
a los árboles diesen la madera
que más sólida fuera
para hacerle uno fuerte y muy durable.

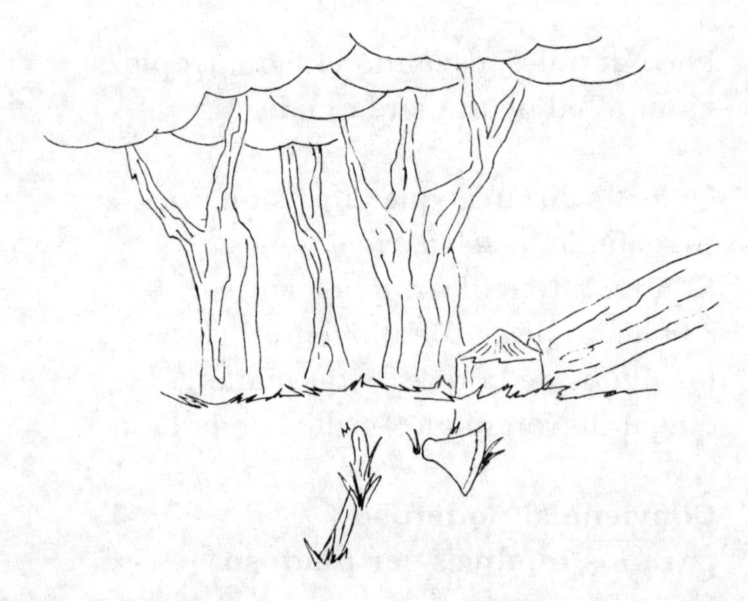

Al punto la arboleda innumerable
le cedió el acebuche, y él, contento,
perfeccionando luego su instrumento,
de rama en rama va cortando a gusto
del alto roble el brazo más robusto.

Y a los árboles todos recorría,
y mientras los mejores elegía,
dijo la triste Encina al Fresno: —**¡Amigo,**
infeliz del que ayuda a su enemigo!

EL CAZADOR Y LA PERDIZ

ESOPO

Una perdiz en celo reclamada
vino a ser en la red aprisionada.

Al cazador la mísera decía:

—si me das libertad en este día,
te he de proporcionar un gran consuelo.

Por este campo extenderé mi vuelo,
juntaré a mis amigas en bandada,
que guiaré a tus redes engañada,

y tendrás, sin costarte dos ochavos,
doce perdices como doce pavos.

—¡Engañar y vender a tus amigas!,
¿y así crees que me obligas?

Respondió el cazador —¡pues no, señora;
muere, y paga la pena de traidora!

La perdiz fue bien muerta, no es dudable.
La traición, aun soñada, es detestable.

La liebre y la tortuga

ESOPO

Una liebre y una tortuga hicieron una apuesta.

La tortuga dijo:

—a que no llegas tan pronto como yo a ese árbol...—

—¿qué no llegaré? —contestó la liebre riendo— estás loca. No sé lo que tendrás que hacer antes de emprender la carrera para ganarla.
—Loca o no mantengo la apuesta.

Apostaron, y pusieron junto al árbol lo apostado; saber lo que era no importa a nuestro caso ni tampoco quién fue juez de la contienda.

Nuestra liebre no tenía que dar más que cuatro saltos, digo cuatro, refiriéndome a los saltos desesperadcs que da cuando la siguen ya de cerca los perros, y ella los da muy contenta y sus patas apenas se ven devorando el yermo y la pradera.

Tenía, pues, tiempo de sobra para pacer, para dormir y para olfatear el viento. Dejó a la tortuga andar a paso de canónigo. Ésta partió esforzándose cuanto pudo; se apresuró lentamente. La liebre, desdeñando una fácil victoria, tuvo en poco a su contrincante, y juzgó que importaba a su decoro no emprender la carrera hasta última hora. Estuvo tranquila sobre la fresca hierba, y se entretuvo atenta a cualquier cosa, menos a la apuesta. Cuando vio que la tortuga llegaba ya a la meta, partió como un rayo; pero sus patas se atontaron por un momento en el matorral y sus bríos fueron ya inútiles. Llegó primero su rival.

—¿Qué te parece? —le dijo riendo la Tortuga— ¿tenía o no tenía razón?, ¿de qué te sirve tu agilidad siendo tan presumida?, ¡vencida por mí!, ¿qué te pasaría, si llevaras, como yo, la casa a cuestas?

La idea de nuestra superioridad nos pierde con frecuencia. No llega a la meta más pronto quien más corre.

El pájaro herido de una flecha

SAMANIEGO

Un pájaro inocente
herido de una flecha
guarnecida de acero
y de plumas ligeras,

decía en su lenguaje
con amargas querellas:

—¡oh, qué crueles humanos,
más crueles que las fieras!,
con nuestras propias alas,
que la Naturaleza
nos dio, sin otras armas,
para propia defensa,
forjáis el instrumento
de la desdicha nuestra,
haciendo que inocentes
prestemos la materia.

Pero no, no es extraño
que así bárbaros sean
aquellos que en su ruina
trabajan y no cesan:
los unos y los otros fraguan
armas para las guerras,
y es dar contra sus vidas
plumas para las flechas.

EL RATÓN RETIRADO DEL MUNDO

LA FONTAINE

Dice una leyenda oriental que cierto ratón, cansado del mundo, se retiró a vivir dentro de un queso de Flandes. Gozaba allí completa soledad el nuevo eremita.

Tanto trabajó con dientes y con uñas que al cabo de pocos días había hecho en el fondo del queso albergue y almacén. Tenía cuanto necesitaba. Se puso rechoncho como un tejón.

Cierto día fueron a buscar al ratón unos mensajeros del pueblo ratonil en demanda de algún socorro. Estaba bloqueada Ratópolis; se encaminaban a extrañas tierras en demanda de auxilio contra el ejército gatuno y marchaban sin dinero por el precario estado de la república atacada, pedían poco, lo que se les quisiera dar.

—Amigos míos —dijo el solitario— las cosas del mundo ya no me atañen. ¿En qué podía yo servirles? He perdido la costumbre de luchar y no les sería útil en nada... —y cerrando la puerta fue a comer un buen pedazo de queso.

Un día, el dueño del almacén donde se guardaba el queso de Flandes, se dio cuenta de la existencia del ratón alejado del mundo, y después de matarlo echó el queso a la basura.

Si el ratón hubiera ayudado a sus congéneres no habría encontrado una muerte como la que tuvo; pero no quiso dividir su comida con los necesitados.

LA ZORRA Y LAS UVAS

SAMANIEGO

Es voz común que a más del mediodía
en ayunas la zorra iba cazando.
Halla una parra, quédase mirando
de la alta vid el fruto que pedía.
Causábale mil ansias y congojas
no alcanzar a las uvas con la garra,
al mostrar sus dientes al alta parra
negros racimos entre verdes hojas.

Miró, saltó y anduvo en probaduras;
pero vio el imposible ya de fijo.

Entonces fue cuando la zorra dijo:

—¡no las quiero comer!, ¡no están maduras!

No por eso te muestres impaciente
si se te frustra, Fabio, algún intento;
aplica bien el cuento
y di: ¡No están maduras! Frescamente.

Los dos gallos

LA FONTAINE

Habiendo a su rival vencido un gallo,
quedó entre sus gallinas victorioso,
más grave, más pomposo
que el mismo Gran Sultán en su serrallo.

Desde un alto pregona vocinglero
su gran hazaña. El gavilán lo advierte,
le pilla, le arrebata, y por su muerte
quedó el rival señor del gallinero.

**Consuele al abatido tal mudanza:
sirva también de ejemplo a los mortales
que se juzgan exentos de los males
cuando se ven en próspera bonanza.**

La serpiente y la lima

SAMANIEGO

En casa de un cerrajero
entró la serpiente un día,
y la insensata mordía
en una lima de acero.

Díjole la lima: —El mal,
necia, será para ti.

¿cómo has de hacer mella en mí,
que hago polvos el metal?

Quien pretende sin razón
al más fuerte derribar,

no consigue sino dar
coces contra el aguijón.

LA GALLINA DE LOS HUEVOS DE ORO

SAMANIEGO

Era una gallina que ponía
un huevo de oro al dueño cada día,
aun con tanta ganancia, malcontento
quiso el rico avariento

descubrir de una vez la mina de oro
y hallar en menos tiempo más tesoro.
Matóla; abrióle el vientre de contado;
pero después de haberla registrado,
¿qué sucedió? Que, muerta la gallina,
perdió su huevo de oro, y no halló mina.

¡cuántos hay que, teniendo lo bastante,
enriquecerse quieren al instante,
abrazando proyectos
a veces de tan rápidos efectos,
que sólo en pocos meses,
cuando se contemplaban ya marqueses,
contando sus millones
se vieron en la calle sin calzones!

La mona y la zorra

SAMANIEGO

En visita una mona
con una zorra estaba cierto día,
y así, ni más ni menos, le decía:
—por mi fe que tenéis bella persona,
gallardo talle, cara placentera,
airosa en el andar como vos sola;

y a no ser tan deforme vuestra cola,
seríais en lo hermoso la primera.
Escuchad un consejo
que ha de ser a las dos muy importante:
yo os la he de cortar, y lo restante
me lo acomodaré por zagalejo.

—¡Abrenuncio! —la zorra responde—
es cosa para mí menos amarga
barrer el suelo con mi cola larga
que verla por pañal bien sé yo dónde.

Por ingenioso que el necesitado
sea para pedir al avariento
éste será de superior talento
para negarse a dar de lo sobrado.

La mona

SAMANIEGO

Subió una mona a un nogal,
y cogiendo una nuez verde,
en la cáscara la muerde,
lo que le supo muy mal.

Arrojóla el animal,
y se quedó sin comer.

Así suele suceder
a quien su empresa abandona
porque halla como la mona
al principio qué vencer.

El pastor

SAMANIEGO

Salicio usaba tañer
la zampoña todo el año,
y, por oírle, el rebaño
se olvidaba de pacer.

Mejor sería romper
la zampoña al tal Salicio.

Porque, si causa perjuicio
en lugar de utilidad,
la mejor habilidad,
en vez de virtud, es vicio.

LAS LIEBRES Y LAS RANAS

SAMANIEGO

Asustadas las liebres de un estruendo,
echaron a correr todas, diciendo:

—¡a quién la vida cuesta tanto susto,
la muerte causará menos disgusto!

Llegan a una laguna de esta suerte
a dar en lo profundo con la muerte.

Al ver a tanta rana que, asustada,
a las aguas se arroja a su llegada.

—¡Hola! —dijo la liebre— ¿con que hay otras tan tímidas que aún tiemblan de nosotras?

Pues suframos como ellas el destino
—conocieron, sin más, su desatino.

**Así la suerte adversa es tolerable
comparada con otras miserables.**

LAS DOS RANAS

ESOPO

Los colores del estío secaron la laguna en que habitaban dos ranas.

Fuéronse en busca de un nuevo domicilio, y encontraron un pozo profundo que a la sazón casi se desbordaba de agua:

—aquí nos acomodaremos fácilmente. Díjole la una a la otra.

—Tienes razón —contestó ésta—
pero si el pozo llega a secarse ¿cómo
saldremos?

Diéronse, pues, el abrazo,
y se fueron en busca de otra charca,
que era su verdadero domicilio.

La cogujada

ESOPO

Al verse presa en artero lazo una
inocente cogujada,
se dolía de este modo:

—¡Mísera de mí,
que no habiendo hurtado ni oro,
ni plata, ni diamantes,
sino un granillo de trigo,
me veo en la horca!

Y es que los delitos son proporcionados a la capacidad del que los comete.

La garza real

LA FONTAINE

Iba un día, no sé adónde, la garza real con sus largas patas, su largo cuello y su largo pico. Costeaba cierto río y estaba el agua clara y transparente, como en los mejores días.

Una carpa jugueteaba con su compadre el Sollo.

La garza podía cogerlos fácilmente pues se acercaban a la orilla, al alcance de su pico; pero le pareció mejor aguardar a que le entrara el apetito.

Era un animal muy arreglado y no comía más que a sus horas. Al cabo de algún rato sintió hambre y acercándose al agua, vio varias tencas que salían de su oculto albergue. No le agrado aquel manjar, esperaba algo mejor y se mostró desdeñosa.

—¡Tencas a mí! —exclamó— ¿cómo voy a contentarme con comida tan grosera?, ¡soy una garza real!, ¿por quién me tomarían?
Rehusada la tenca encontró un mísero Gobio.

—Tampoco es esa comida para una garza real. ¿Abrir yo el pico por tan poca cosa?
Y tuvo que abrir el pico por algo menos, pues no quiso la suerte que viera ya ningún otro pez, malo ni bueno. El hambre apretaba y tomó a gran fortuna encontrar una babosa.

No seamos exigentes; quien mucho quiere alcanzar, suele perderlo todo por su vanidad.

Los toros y las ranas

ESOPO

Cierta rana que desde su laguna veía con espanto la pelea de unos toros, volvióse a sus amigas y les dijo:

—el cielo nos ampare, hermanas, que, o mucho me equivoco, o vamos a perecer en esa refriega.

—Tonta que eres —replicó una— los toros no hacen caso de nosotras:

ellos se pelean entre sí por ocupar el primer puesto de la vacada.

Nosotras vivimos lejos, y además nos defienden nuestros pantanos y juncos.

La primera repuso con gran cordura —¿lo crees así? Pues aguarda a que termine la lucha, y sentirás los varetazos del que salga vencido.

En efecto: el toro que perdió la batalla,
se rehizo furioso hacia atrás,
y en el desconcierto de la huida,
tronchó los juncos,
invadió las lagunas y aplastó a las ranas.

Siempre que se pelean los poderosos, les sucede lo mismo a los débiles.

EL CUERVO ENFERMO

ESOPO

Próximo a la muerte y sin remedio humano, decía un cuervo a su madre:

—no llores, madre mía, sino pide a los dioses por mi salud.

—¿A los dioses me dices? —replicó la madre acongojada.

—¿Cuál de ellos crees que se apiadará de ti?

¿No has pasado la vida picoteándoles la carne después del sacrificio?

El que durante la prosperidad no hace más que daños, ¿qué amistades espera en la desgracia?

La comadreja en el granero

LA FONTAINE

La damisela comadreja, tan delgadita y tan flexible, entró en el granero por un agujero muy angosto. La pobre había estado enferma; pero allí, viviendo a sus anchas, comió cuanto halló sin pedir permiso, el tocino y los bichos vivientes... a todo le dio fin. ¡Así se puso de rolliza, rechoncha y mofletuda!

Al cabo de una semana, después del cotidiano hartazgo, oyó un ruido y pensando que volvían los ratones a los que había robado, quiso escapar por el agujero. No pudo pasar y creyó haberse equivocado. Dio algunas vueltas y

revueltas, y desengañada, volvió a aquella abertura.

—Esta es la salida —se dijo— no me cabe duda, por aquí entré hace cinco o seis días. Un ratón que la había estado observando y ahora era testigo de sus angustias, le dijo:

—cuando entraste no tenías el vientre tan repleto. Tendrás que estar en ayunas otra semana para escapar.

—Pero me encontrarán aquí los dueños de este agujero —protestó asustada la comadreja.

—Lo que te está sucediendo les pasa a todos los que se roban las provisiones ajenas, que otros han reunido con mucho esfuerzo...

Cuando se comete un robo, suele ser fácil entrar, pero difícil salir. Al entrar se llevan las manos vacías... al salir se va cargando un saco pesado.

LA CABEZA Y LA COLA DE LA CULEBRA

ESOPO

La culebra tiene dos partes, igualmente enemigas del género humano: la cabeza y la cola, y ambas han prestado grandes servicios a la Muerte, hasta el punto de que antaño tuvieron largas disputas sobre cuál debía ir adelante.

La cabeza había ido siempre en la vanguardia. La cola estaba muy quejosa por eso; decía:
—hago leguas y más leguas de camino, al capricho de ésta. ¿Ha de someterme siempre ella? Soy humilde secuaz y eso no debe ser. Hermana suya me han hecho, y no sierva. ¿No somos de la misma sangre? Que nos traten, pues, de igual manera. Lo mismo que ella, tengo veneno poderoso y activo. Mi deseo es que se disponga todo

de modo que, por turno, preceda yo a mi hermana la cabeza. La conduciré tan bien que ni tendrá motivo de queja.

La súplica fue escuchada. ¡Qué malos resultados tiene a veces la condescendencia! La nueva conductora, que en pleno día no veía más claro que en boca de lobo, topaba con los árboles, con las piedras, con los animales, y de tumbo en tumbo, despeñó a su hermana en la laguna Estigia.

Cada parte del cuerpo tiene su misión especial, de igual importancia. Querer alterar los bienes de la Naturaleza es absurdo.

EL LEÓN ENAMORADO

ESOPO

Enamorado un león de la hermosa hija de un guardabosque, pidióla a su padre para esposa. El hombre no se atrevió a negársela,

aunque lo deseaba ardientemente; pero le dijo al león que su hija era tan joven y delicada que él no podía consentir en su matrimonio, si el amante no se cortaba los dientes y las uñas.

Tan ciego de amores estaba el león, que aceptó sin vacilar la propuesta; pero cuando se hubo cortado garras y colmillos, el guardabosque empuñó una maza y le quitó la vida.

El lobo y la grulla

ESOPO

A punto de ahogarse un lobo con cierto hueso de gallina que
se le atravesó en la garganta,
suplicó a una grulla que se lo extrajese,
empleando, a guisa de tenazas, su largo cuello.

Hízolo la grulla como un doctor;
y al pedirle los honorarios de su obra,
díjole el lobo mostrándole los dientes:

—bástete y sóbrete la merced de haber sacado intacta
tu cabeza de la boca de un lobo.

EL NIÑO Y LA MADRE

ESOPO

Cierto chicuelo revoltoso, hurtó un libro en la escuela y se lo llevó a su madre.

La mujer que se excusaba de esto para comprarle otro,

colmó de caricias al niño,
alabando por extremo su agudeza.

Envalentonado éste, robó alguna otra cosa,
y después otra más;
hasta que cogido por la justicia en nuevo
fue llevado a la cárcel y sentenciado a
muerte.

La madre se deshacía en lágrimas tras
del reo;
pero el niño, parando la comitiva,
exclamó:

**—si cuando hurté el primer libro no te
hubieras reído,
ahora excusarías de llorar mi desgracia.**

La tortuga y el águila

SAMANIEGO

Suplicaba al águila una tortuga que le
enseñase a volar;

y aunque aquella le decía que nada era
tan contrario a su naturaleza como esta
pretensión,
la tortuga instaba con tales ruegos y
razones,
que su amiga accedió al cabo de la
solicitud.

Remontóla, abrió las garras; pero el torpe
animal se hizo un ovillo
y cayó sobre unas piedras, donde perdió la
vida.

De un modo análogo se estrella todo el que quiere hacer alguna cosa para la cual le faltan los dones naturales.

LA ZORRA FILÓSOFA

ESOPO

Trateando cierto día una zorra en el equipaje de un cómico,

encontró una máscara de ésas con las que ellos se cubrían toda la cabeza para representar en el teatro.

Hallóla tan hermosa, que no pudo menos que exclamar:

—¡he aquí la más bella cabeza de hombre que yo he visto en mi vida!

Mas metiendo la mano por dentro, añadió:

—pero no tiene sesos.

Desde entonces no hay quien le quite a la zorra que hermosura y talento no suelen andar unidos.

La grulla y el pavo real

ESOPO

Extendiendo el pavo real su espléndida cola delante de una grulla, ridiculizaba en soberbio tono el pobre ropaje ésta.

—¡Calle, calle!— dijo la grulla sonriendo:

—¿qué se figura el inocente?, ¿cree, acaso, preferible pavonearse todo el tiempo y ser admirado por los niños, o levantar el vuelo sobre las nubes siendo la envidia de los sabios?

El pavo real tuvo siempre el defecto de confiar demasiado en la eficacia del sastre.

El ratón y la ostra

ESOPO

Un ratón, nacido en el campo se cansó pronto de los domésticos lares. Dejó pues a sus padres, el grano y las gavillas, y marchó a correr mundo.

Así que estuvo fuera de su madriguera, exclamó regocijado:

—¡que espaciosa es la tierra!, ¡he ahí los Apeninos!, ¡he allá el Cáucaso!

Cualquier montecillo de arena o piedra era para él un Himalaya. Al cabo de unos días el viajero llegó a una playa donde las olas habían dejado a seco algunas ostras, y nuestro ratón creyó, al verlas, que eran bosques de alto bordo.

—¡En verdad que mi padre era un pobre señor! —pensaba— no se atrevía a viajar temeroso de todo. ¡Yo soy bien distinto! He visto ya el imperio de Neptuno y he cruzado los áridos desiertos de la Libia.

De una rata erudita había aprendido todo eso, y lo aplicaba como Dios le dio a entender, porque no era de aquellos ratones que a fuerza de roer libros se hacen sabios.

Entre aquellas ostras, cerradas casi todas, había una abierta.

Bostezando al sol, respiraba la fresca brisa, blanca, tierna, jugosa y a juzgar por las trazas, sabrosísima.

En cuanto distinguió el ratón aquella ostra viva y palpitante, gritó:

—¿qué veo? Parece manjar, y si no engaña la apariencia, es algo exquisito... ¡lo probaré!

El inexperto animal gozoso y esperanzado, se acercó al marisco, alargó el cuello y se sintió cogido en una trampa. La ostra se había cerrado sobre su pescuezo.

A los que poco o nada conocen los sorprende todo, y más nos vale reconocer la ignorancia para no exponernos a caer dentro de una trampa.

La zorra y el leñador

ESOPO

Huyendo una zorra de ciertos cazadores que la perseguían, corrió largo trecho por un despoblado, hasta que viendo a un leñador amigo, le suplicó que la ocultase en su choza.

Hízole éste así, pero cuando los cazadores
vinieron a preguntarle por la zorra,
él les decía con la voz que ignoraba su
paradero,
mientras con las manos indicaba el punto
del escondite;
no habiéndole comprendido; sin embargo,
marcháronse los cazadores, y entonces la
zorra salió de su guarida
y se alejó del hombre sin decir palabra.

El leñador, amostazado, dijo:

—¿es esa la manera que tienes de darme
las gracias?

La zorra mirándole atentamente,
contestó:

—diératelas de muy buen grado,
si en tu respuesta a mis amigos hubieras
marchado
acordes los gestos y las palabras.

Y que para hacer los favores hay que hacerlos completos.

Los gansos y las grullas

ESOPO

Solazábanse juntos en un prado los
gansos,
varios cazadores acudieron allí y asestaron
sus tiros a las bandadas.

Las grullas, percibidas del peligro,
partieron a volar,
fiadas en su ligereza;

mas los gansos,
que son gente reposada,
perdieron su libertad por ser pesados.

En un pueblo revuelto,
siempre es la gente lista
la que se escapa.

El cerdo, la cabra y el carnero

ESOPO

Una cabra, un carnero y un cochino bien cebado, iban a la feria en la misma carreta, no, por cierto, a divertirse:

los llevaban a vender.

El cerdo gruñía y se quejaba con sus compañeros:

—¿no les importa adónde nos llevan? ¿lo que harán con nosotros?

—No —respondió el carnero— yo prefiero no saber nada. No tiene objeto que grites tanto y aturdas con tus alaridos.

—Yo tampoco quiero saber nada —apoyó la cabra.

—Pues a mí me matarán... estoy seguro, y a la cabra y a ti también... son un par de tontos —siguió gimiendo el cerdo.

—Ya cállate —gritó el carretero fastidiado— toma ejemplo de tus dos compañeros, más razonables que tú. Tanto el carnero como la cabra, son sabios y no abren la boca.

—Son tontos, repito —prosiguió el cochino— si supieran lo que les espera pondrían el grito en el cielo. Piensan que no se trata más que de descargarlos, a ella de la leche, y a él de la lana.
No sé si aciertan, pero en cuanto a mí, no soy bueno más que para que me coman, nadie me librará de la muerte.

¡Adiós a mi casa y mi gente! Moriré mañana mismo...

—¿y qué ganas con que yo te diga que sí, que morirás mañana?

Tenían razón el carnero, la cabra y el carretero.
Es mejor no saber el momento de la desgracia, cuando es inevitable.

EL JABALÍ Y LA ZORRA

SAMANIEGO

Sus terribles colmillos aguzaba
un Jabalí en el tronco de una encina,
la zorra, que vecina
del animal cerdoso se miraba,
le dice:

—extraño el verte,
siendo tú en paz señor de la bellota,
cuando ningún contrario te alborota,
que tus armas afiles de esa suerte.

La fiera le responde: —tengo oído,
que en la paz se prepara el buen guerrero,
así como en la calma el marinero,
y que vale por dos el prevenido.

El labrador y la providencia

SAMANIEGO

Un labrador cansado,
en el ardiente estío,

debajo de una encina
reposaba pacífico y tranquilo.

Desde su dulce estancia
miraba agradecido
el bien con que la tierra
premiaba sus penosos ejercicios.

Entre mil producciones,
hijas de su cultivo,
veía calabazas, melones por los suelos
esparcidos.

—¿Por qué la Providencia? —decía entre
sí mismo— ¿puso a la ruin bellota en
elevado y prominente sitio?

¿Cuánto mejor sería que, trocando el
destino,
pendiesen de las ramas
calabazas, melones y pepinos.

La oveja y el ciervo

SAMANIEGO

Un celemín de trigo
pidió a la oveja el ciervo, y le decía:

—si es que usted de mi paga desconfía,
a presentar me obligo
un fiador desde luego
que no dará lugar a tener queja.

—¿Y quién es ése? —preguntó la oveja.

—Es un lobo abandonado, llano y lego.

—¿Un lobo?, ¡ya! mas hallo un embarazo:

si no tenéis más fincas que él sus dientes
y tú los pies para escapar valiente,
¿a quién acudiré, cumplido el plazo?

Si quien es el que pide y sus fiadores
antes de dar prestado se examina,
será menor, sin otra medicina,
la peste de los malos pagadores.

El ladrón

SAMANIEGO

Por catar una colmena
cierto goloso ladrón,
del venenoso aguijón
tuvo que sufrir la pena.

La miel —dice— está muy buena:

es un bocado exquisito;
por el aguijón maldito
no volveré al colmenar.

**¡Lo que tiende encontrar
la pena tras el delito!**

El asno infeliz

SAMANIEGO

Yo conocí un jumento
que murió muy contento

por creer (y no iba fuera del camino)
que así cesaba su fatal destino.

Pero la adversa suerte
aun después de su muerte
lo persiguió: dispuso que al difunto
le arrancasen el cuero luego al punto
para hacer tamboriles
y que en los regocijos pastoriles
bailasen las zagalas en el prado
al son de su pellejo baqueteado.

Quien por su mala estrella es infeliz aun muerto lo será.

El ratón de la corte y el del campo

SAMANIEGO

Un ratón cortesano
convidó con un modo muy urbano
a un ratón campesino.

Diole gordo tocino,
queso fresco de Holanda,
y una despensa llena de vianda
era su alojamiento.

Pues no pudiera haber aposento
tan magníficamente preparado,

aunque fuese en Ratópolis buscado
con el mayor espero,
para alojar a Roepan primero.

Las paredes y techos adornaban,
entre mil ratonescas golosinas,
salchichones, perniles y cecinas.

Saltaban de placer, ¡oh, que embeleso!,
de pernil en pernil, de queso en queso.
En esta situación tan lisonjera,
llega la despensera.

Oye el ruido, corren, se agazapan,
pierden el tino; mas al fin se escapan
atropelladamente
por cierto pasadizo abierto a diente.

—¡Esto tenemos! —dijo el campesino—
¡reniego yo del queso y del tocino,
y de quien busca gustos
entre los sobresaltos y los sustos!

Volvióse a su campiña en el instante,
y estimó mucho más de allí en adelante,
sin zozobras, temor, ni pesadumbres,
su casita de tierra y sus legumbres.

EL LOBO, LA ZORRA Y EL MONO JUEZ

SAMANIEGO

Un lobo se quejó criminalmente
de que una zorra astuta le robase.

El mono juez, como ella lo negase,
dejólos alegar prolijamente.

Enterado, pronuncia la sentencia:

—no consta que te falta nada, lobo;
y tú, raposa, tú tienes el robo

—dijo—; y los despidió de su presencia.
—Esta contradicción es cosa buena
—le dijo el docto Mono con malicia:

Al perverso su fama lo condena,
aun cuando alguna vez pida justicia.

EL CABALLO Y EL ASNO

SAMANIEGO

Un caballo y un asno caminaban juntos por una carretera seguidos de su amo. El Caballo no llevaba carga alguna; sin embargo, era tan pesada la del asno que a duras penas le permitía moverse, por lo cual pidió a su compañero le ayudase a llevar una parte de ella.

El caballo, que era egoísta y de mal temple, se negó a prestar ayuda a su camarada que jadeante y sin aliento, cayó muerto en la carretera. Intentó el amo aliviar al asno, pero era ya demasiado tarde; y así, quitándole la carga, la colocó sobre las costillas del caballo, juntamente

con la piel del asno muerto. De esta suerte el caballo, que por su egoísmo no había querido hacer un pequeño favor, se vio obligado a llevar toda la carga él solo.

Nunca ganaremos nada si somos egoístas y descorteses.

EL RATÓN Y EL ELEFANTE

LA FONTAINE

Un ratoncillo, de los más diminutos, viendo a un elefante, de los más

corpulentos, se burlaba de la pausada marcha del gigantesco animal, que llevaba completa la carga. A cuestas conducía a una famosa sultana, que iba de peregrinación con su perro faldero, su gato, su mona, su cotorra, su aya y toda su casa.

El ratoncillo se asombraba de que los transeúntes se quedaran con la boca abierta mirando aquel enorme volumen, como si el ocupar más o menos sitio, pensaba, nos hiciera más o menos importantes.

—¿Qué admiran tanto?, ¿ese corpachón que amedrenta a los chiquillos? Tan menudos como somos, pensaba, no nos tenemos los ratones en menos que los elefantes...
estaba diciendo aquello cuando el Gato de la sultana, cayendo sobre él, le hizo ver en un abrir y cerrar de ojos que un ratón no es un elefante.

La envidia nos hace malas jugadas.

La cigarra y la hormiga

LA FONTAINE

La cigarra después de cantar todo el verano, se encontró cuando comenzó a soplar el cierzo; ¡ni una migaja... ni una mosca... ni un gusanillo!

Recordó a la hormiga, a la que había visto durante aquel tiempo, muy diligente, acarreando provisiones. Lo que no recordó fue que se había burlado un poco de ella hallándola exagerada en su actividad.

Decidió ir a pedirle algo de lo mucho que había guardado, para mantenerse hasta la cosecha. Le pagaría después, dándole cantidad mayor a la prestada.

Pero la hormiga se negó de hacerle el papel de prestamista; además, ella sí recordó las burlas de la cigarra.

—¿Qué hacías con el buen tiempo mientras yo trabajaba?— preguntó.

La cigarra no podía engañarla.

—Pasaba todo el día y parte de la noche cantando.

—Pues ahora sigue cantando.

No debemos ser holgazanes como la cigarra, ni burlarnos de los previsores, como la hormiga.

EL CUERVO Y EL ZORRO

LA FONTAINE

Estaba un señor cuervo posado en un árbol, y tenía en el pico un queso. Atraído por el olor, el señor zorro se acercó y le habló en estos o parecidos términos:

—¡Buenos días, caballero cuervo!, ¡gallardo y hermoso eres en verdad! Si tu canto corresponde a tu pluma, te diré que entre los huéspedes de este bosque tú eres el Ave Fénix.

Al oír esto el cuervo, vanidoso, miró complacido al zorro, y para hacer alarde

de su magnífica voz, abrió el pico, dejando caer el queso. El zorro, muy listo, agarró la presa y echó a correr.

El adulador vive siempre de la vanidad del adulado.

El lobo y el cordero

LA FONTAINE

Un corderillo sediento bebía en un arroyuelo.

Llegó en esto un lobo pendenciero.

—¿Cómo te atreves a enturbiar el agua? —dijo malhumorado al corderillo.

—No te irrites lobo —contestó el cordero— considera que estoy bebiendo en esta corriente veinte pasos más abajo y mal puedo enturbiar el agua.

—¡La enturbias! —gritó el feroz animal— y me consta que el año pasado hablaste mal de mí.

—¿Cómo había de hablar mal si todavía no nacía? —alegó el pobre corderillo.

—Si no eras tú, era tu hermano.

—No tengo hermanos señor lobo.

—Pues sería alguno de los tuyos, porque me tienen mala voluntad todos ustedes, sus pastores y sus perros. Lo sé de buena tinta, y tengo que vengarme.

—¿Y por qué conmigo que nada he hecho?

—Porque ya me aburrí de que discutas conmigo. Yo siempre tengo la razón.
Y dicho esto, el lobo se lanzó sobre el corderillo, lo llevó al fondo del bosque y se lo comió, sin más ni más.

La prudencia es la defensa de los débiles ante la maldad del más fuerte. Mejor es no discutir con quien cree tener siempre la razón.

El carretero y Hércules

SAMANIEGO

En un atolladero
el carro se atascó de Juan Regaña;
él a nada se mueve ni se amaña,
pero jura muy bien. ¡Gran carretero!

A Hércules invocó, y el dios le dice:
—Aligera la carga, ceja un tanto,
quita ahora ese canto.
—¿ésta? —sí, le responde; ya lo hice.

—Pues enarbola el látigo, y con eso
pues a caminar. De esta manera,
arreando a la Molina y la Roncera,
salió Juan con su carro del suceso.

Si haces lo que estuviere de tu parte,
pide al Cielo favor, y ha de ayudarte.

EL JABALÍ Y EL CARNERO

SAMANIEGO

De la rama de un árbol un carnero
degollado pendía:

en él a sangre fría
cortaba el remangado carnicero.

El rebaño inocente,
que trágico espectáculo miraba,
de miedo, ni pacía ni balaba.

Un jabalí gritó: —¡cobarde gente
que miráis la carnívora matanza!
¿cómo no os vengáis del enemigo?

—Tendrá —dijo un carnero— su castigo;
mas no de nuestra parte la venganza.

La piel, que arranca con sus propias
manos,
sirve para los pleitos y la guerra,
las dos mayores plagas de la tierra
que afligen a los míseros humanos.

Apenas nos desuellan, se destina
para hacer pergaminos y tambores.

Mira cómo los hombres malhechores
labran en su maldad su propia ruina.

LA RANA Y LA GALLINA

ESOPO

Desde su charco una parlera rana
oyó cacarear a una gallina.
—¡Vaya! —le dijo— no creyera, hermana,
que fueras tan incómoda vecina.
Y con toda esa bulla, ¿qué hay de nuevo?
—nada, sino anunciar que pongo un
huevo.
—¿Un huevo solo y alborotas tanto?
—Un huevo solo; sí, señora mía.

—¿Te espantas de eso cuando no me espanto
de oírte como graznas noche y día?
Yo, porque sirvo de algo, lo publico;
tú, que de nada sirves, calla el pico.

Al que trabaja algo, puede disimulársele lo que pregone; el que nada hace debe callar.

LA MUERTE Y EL MORIBUNDO

LA FONTAINE

Un moribundo, que contaba más de cien años de vida, se quejaba a la muerte de que lo obligara a partir tan de improviso, sin dejarle hacer testamento, sin avisarle de antemano.

—¿Es justo hacernos morir de prisa y corriendo? —exclamaba—. Aguarda un poco: mi mujer no quiere que me vaya sin ella; me falta colocar a un nieto; tengo que añadir un ala a mi casa. ¡Cuán apremiante te muestras, diosa cruel!

—Anciano —le contestó la muerte—, no te he sorprendido. Sin razón te quejas de mi impaciencia. ¿No has cumplido ya cien años? ¿A que no encuentras en todo París dos más viejos que tú? ¿A que no encuentras diez en toda Francia? Dices que debía darte algún aviso para prepararte a este trance, para que tuvieras el testamento hecho, el nieto colocado y la casa concluida. ¿No debiste darte por avisado al ver que ibas perdiendo fuerzas y sentidos? Faltó el paladar, faltó el oído; en ti todo parece que se haya apagado, hasta te son inútiles los beneficios que derrama el astro del día. Te duele dejar bienes que ya no disfrutas. Muertos están, moribundos o enfermos todos tus camaradas. ¿No son estas circunstancias, avisos para ti? Vamos pues, buen viejo, no te hagas el remolón. ¿Qué importa que dejes o no hecho el testamento?

Tenía razón la muerte: a esa edad deberíamos salir del mundo como de un banquete, dando gracias al anfitrión y haciendo de buena gana la maleta. Después de todo, ¿qué podemos hacer ya en la vida? Pero sucede que los que están casi muertos, son los que más temen a la Muerte.

Los dos pichones

LA FONTAINE

Dos pichones se querían tiernamente, pero uno de ellos se aburría en casa y tuvo la insensata ocurrencia de hacer un largo viaje. Le dijo su compañera:

—¿Qué vas a hacer? ¿Quieres dejarme? La ausencia es el mayor de los males; pero no lo es sin duda para ti, a no ser que los trabajos, los peligros y las molestias del viaje te hagan cambiar de propósito. ¡Si estuviera más adelantada la estación! Aguarda las brisas primaverales. ¿Qué prisa tienes? Ahora mismo un cuervo pronosticaba desgracias a alguna ave desventurada. Si marchas, estaré siempre pensando en funestos encuentros, en halcones y en redes. ¡Está lloviendo! diré, ¿tendrá mi compañero buen albergue y buena cena?

Este discurso movió el corazón del imprudente viajero, pero el afán de ver y el espíritu aventurero prevalecieron al fin.

—No llores —exclamó—, con tres días de viaje quedaré satisfecho. Volveré en seguida a contarte, punto por punto,

mis aventuras, y te divertiré con mi relato. Quien nada ha visto, de nada puede hablar. Ya verás cómo te agrada la narración de mi viaje. Te diré: estuve allí y me pasó tal cosa... Te parecerá, al oírme, que has estado tú también.

Se despidieron llorando. Se alejó el viajero y al poco rato un chubasco lo obligó a buscar abrigo. No encontró más que un árbol de tan menguado follaje, que el pobre pichón quedó calado hasta los huesos.

Cuando pasó la borrasca, se secó como pudo, y divisó en un campo inmediato granos de trigo esparcidos por el suelo y junto a ellos otro pichón. Se avivó su apetito, se acercó y quedó preso: el trigo era cebo de traidoras redes. Éstas eran tan viejas y estaban tan gastadas, que trabajando con las alas, el pico y las patas, pudo romperlas el cautivo, dejando en ellas algunas plumas; pero lo peor del caso fue que un buitre, de rapaces garras, vio a nuestro pobre pichón que arrastrando la destrozada red parecía un forzado que huía del presidio.

Ya se arrojaba el buitre sobre él, cuando súbitamente cayó desde las nubes un águila con las alas extendidas. El pichón se aprovechó del conflicto entre aquellos dos bandoleros, echó a volar y se refugió en una granja, pensando que allí acabarían sus desventuras.

Un muchacho malvado hizo voltear la honda, y de una pedrada dejó medio muerto al desdichado pichón, que maldiciendo su curiosidad, arrastrando las alas y los pies, se dirigió cojeando y sin aliento hacia el palomar, adonde llegó al fin como pudo sin nuevos contratiempos.

Juntos al cabo los dos camaradas, el viajero no quiso hacer relato alguno de su "divertido" viaje.

La aventura y la curiosidad no son aconsejables para quienes no tienen medios de defensa. Su debilidad los obliga a volver más pronto de lo que pensaban a su punto de partida.

Índice

Este libro de Fabulas para Chiquitos.

Se terminó de imprimir en el mes de marzo del 2009
en los talleres de Impresora y Editora Tepepan S.A. de C.V.

Ubicada en calle Abasolo No. 15-A
Col. Tepepan, Deleg. Xochimilco.

El tiraje fue de 1,000 ejemplares
México, D.F.